Bjorn: *para Lindsay con amor.*

EL SILBIDO DEL LOBO

©2015 **BARBARA FIORE EDITORA**
Depósito Legal: GR 2356-2014
ISBN: 978-84-15208-58-7
Traducción: Antøn Antøn
Impreso en China por Toppan Leefung

Barbara Fiore Editora S. L.
Paseo Del Fuego 7, 18220 Albolote, España

WWW.BARBARAFIOREEDITORA.COM

El silbido del lobo se concibió originalmente como el primer libro de la serie titulada Behind the Tails © Nobrow Ltd.
Está escrito en un esfuerzo colaborativo entre Alex Spiro, Scott Donaldson y Bjorn Rune Lie.

Originally published in the English language as *The Wolf's Whistle* © Nobrow 2010.

EL SILBIDO DEL LOBO

BJORN RUNE LIE & CO.

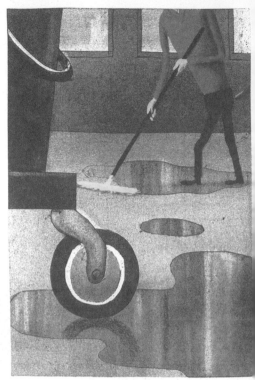

abía una vez un lobato llamado Albert. Vivía con su padre, que era un lobo de mar salada, en un casa medio derruida junto a los muelles. Aunque eran tan pobres que estaban sin blanca, todos los sábados el padre de Albert le daba una resplandeciente moneda para que se la gastase en su tienda de cómics favorita.

A Albert le encantaban los cómics, sobre todo los de superhéroes. Le fascinaban sus aventuras: la intriga, las identidades secretas y los poderes especiales. Pero, si los cómics le habían enseñado algo, era la diferencia entre lo bueno y lo malo, entre el bien y el mal. Si alguien necesitaba una mano, Albert siempre se la echaba.

Además de tener buen corazón, Albert tenía talento para el arte. Tanto talento que había conseguido una beca en la prestigiosísima *Academia Muyesnob*. Por desgracia, Muyesnob estaba llena de tigres pretenciosos, caniches consentidos, elefantes arrogantes y hámsteres malcriados.

Albert se sentía, cuando menos, desplazado, aunque la suerte dispuso que estuviera en buena compañía. Había tres compañeros íntimos que también eran unos inadaptados de una forma u otra: Chauncey, Libby y Vicente, los cuales eran, respectivamente, un ratón, una comadreja y una cigüeña. Se hacían llamar *Los Cuatro Intrépidos*.

Su amistad era la más sólida, y mientras sus compañeros de clase andaban detrás de los últimos y más caros juguetes, *Los Cuatro Intrépidos* saboreaban todo aquello que cazaban, tomaban, encontraban o fabricaban.

Cualquier vía de ferrocarril en desuso, rápido prohibido o almacén abandonado se convertía en su campo de juegos. Y lo mejor de todo es que ¡todo era gratis!

Aunque a Albert le encantaban estas correrías de después de clase, siempre andaba absorto: su sueño de convertirse en una estrella de Wonder Comics, la mejor editorial de cómics del universo, ocupaba todos sus pensamientos. Cada semana, les enseñaba a sus amigos las últimas páginas de su propia epopeya, titulada *El silbido del lobo*.

Era la fascinante historia de un superhéroe con capa llamado Lobo Solitario. Este prodigio enmascarado se enfrentaba a matones, defendía a los indefensos y podía derribar edificios altos con un solo soplido de sus poderosos labios. Y en los momentos en los que más lo necesitaba, llamaba a sus intrépidos compañeros para ayudarle a combatir a su archienemigo: el malvado Doctor Chorizo.

Por desgracia, los peligros en los que se veían estos vengadores no eran nada ficticios. Los amigos tenían que enfrentarse a villanos de verdad todos los días: tres matones bestiales que eran hermanos y se llamaban Wade, Rafe y Theron Alamiel. Mandaban en el patio con pezuña de acero, y meterse con Albert y su pandilla era, de lejos, su pasatiempo favorito.

Una tarde fatídica, los Alamiel descubrieron la caja de zapatos en la que Albert guardaba su disfraz casero de Lobo Solitario. Gruñendo como locos, le ataron la capa al cuello y se pusieron a empujarlo por el patio. Todo el mundo lo señaló y se rió de Albert con tanta fuerza que, con lágrimas por toda la cara, se marchó corriendo a su casa.

Cuando su padre oyó lo sucedido, el viejo lobo de mar se sentó a su hijo y le dijo:

«¡Escucha, hijo! Sé que te sientes como si tu barco se estuviera hundiendo y esos chicos hubiesen tirado el tapón por la borda… Pero no debes olvidar nunca que tienes un sueño, ¡es tu bote salvavidas!».

«¡Nunca he conocido a ningún marinero digno de su sal al que le haya importado ni un graznido de gaviota lo que puedan pensar los demás!».

«Sigue a tu corazón, hijo mío. ¡Traza tu rumbo y zarpa!».

Los años pasaron y Albert, de hecho, cumplió el sueño de trabajar en Wonder Comics. Allí, lleva a cabo todo tipo de tareas: hace el café, clasifica el correo, limpia el suelo y rasca los chicles que hay pegados debajo de las mesas. ¡Todo excepto poner el bolígrafo en el papel! Mientras volvía a casa después del trabajo el día de su trigésimo cumpleaños, la idea del frigorífico vacío en su apartamento del tamaño de una taza le llenó de horror...

Pero, para su gran alegría, se encontró con que la vieja pandilla le estaba esperando con tarta, gelatina de fresa y el suficiente refresco como para hundir un barco. «¡Feliz cumpleaños, viejo lobato!», dijeron cuando Albert entró por la puerta delantera.

Tras la magnífica fiesta, los amigos se sentaron frotándose con gusto sus atiborradas tripas y recordaron los lejanos días de la escuela. Cuando Albert preguntó qué había sido de los espantosos hermanos Alamiel, Chauncey chilló: «¿No lo sabes? Todo el mundo en la ciudad sabe en qué andan, pero supongo que siempre has tenido la cabeza enterrada en tus cómics».

«Trabajan para su padre, Al Prosciutto, el mafioso. ¡Debes haber oído hablar de él! Están metidos hasta las patas y son dueños de la mitad de los edificios de la ciudad, incluido en el que vivimos. No funciona nada nunca; por eso que es tan horrible: jamás arreglan nada».

Era verdad, el edificio Antiguos Grabadores había perdido su esplendor de antaño y estaba en ruinas. Corría el rumor de que los hermanos Alamiel querían derruirlo para edificar, aunque no podían, porque se consideraba una obra maestra de la arquitectura del lugar.

Pero estaba infestado de cucarachas y la pintura de las paredes era tóxica. En invierno era como una nevera y en verano, como un horno; el tejado era como un coladero y la escalera de incendios llevaba años oxidada y abandonada. Chauncey, Libby y Vicente eran los únicos inquilinos que quedaban después de que una oleada de extraños accidentes hubiera hecho que todos los demás se fueran.

Los hermanos Alamiel, por otra parte, vivían en los Jamonales, donde pasaban el día comiendo en comederos de oro y las noches durmiendo entre sábanas de seda. Protegidos por matones a sueldo, a Wade, Rafe y Theron lo que más les gustaba era estar pezuña sobre pezuña en su piscina con forma de chuleta de cerdo mientras bebían champán y se llenaban la boca de trufas blancas.

A estos gánsteres curados no les importaba nada más que ellos mismos, ¡y que Dios pillase confesado a quien les estorbase!

La mañana después de su fiesta sorpresa, Albert se dirigió con paso rápido al trabajo mientras silbaba una alegre saloma. «Qué afortunado soy de tener unos amigos tan fantásticos —pensó mientras pasaba por el quiosco de prensa—. No importa lo desapacibles que puedan ponerse las cosas, ya que sé que siempre podré contar con ellos... ». El corazón de Albert se detuvo al ver los titulares.

DIARIO BABOSADA

INFERNAL INCENDI
ON TRES VÍCTIMAS

Tres animales fallecieron en un incendio que se desató en el histórico Antiguos Grabadores de la avenida Tripacerdo ayer por la noche.

Las víctimas se han identificado como Chauncey Ratón, Vicente Comadreja y Libby Cigüeña, inquilinos del edificio. Los servicios de emergencias fueron alertados sobre las 23:30 del martes, pero a su llegada las llamas ya habían consumido la casa. Se ha identificado un electrodoméstico estropeado como posible comisario de policía Cé...

Albert corrió cuanto pudo hacia las humeantes ruinas.
Era una visión horrible.

Albert jamás se había sentido tan triste y solo en toda su vida. «¿Dónde están los superhéroes cuando uno los necesita?», sollozó. Justo entonces, un viejo y harapiento vagabundo se acercó y se sentó a su lado. De su abrigo sacó una bolsa de papel marrón con una botella dentro… «Toma, dale un trago a esto —dijo—. Es algo increíblemente poderoso. Te dará toda la fuerza que te haga falta… ».

«Gracias», dijo Albert, pero el vagabundo ya se había ido.

Albert pasó aquella noche intranquilo y tuvo extraños sueños.

Aunque al principio todo estaba confuso, no tardó en aclararse.

Albert supo qué tenía que hacer. Sin necesidad de mirar, metió la mano debajo de la cama y sacó una vieja caja de zapatos cubierta de polvo y que llevaba años sin ver la luz del día... Finalmente habría alguien para defender a los indefensos, derribar las torres de la tiranía, soplar, soplar y resoplar hasta quitar de en medio a los que se entorpeciesen a la justicia. Sí, Albert se convertiría en Lobo Solitario...

    ... Escuchad su silbido.